Carnet

Espagne

D0526890

Ce carnet appartient à :

Sommaire

Carnet de cuisine
Espagne

Introduction, menus et recettes de
Raphaël Espin

Photographies de
Jean-Pierre Duval

Romain Pages Éditions

Introduction

Bien peu de gens sont indifférents au caractère chaleureux de l'Espagne ; les voyageurs du XIXᵉ siècle, tels Bizet ou Prosper Mérimée, ne nous démentiraient pas. Le pays fier et sauvage qu'ils aimèrent est aujourd'hui un haut lieu touristique.

Là, corrida, soleil, sangria, mer, paella, flamenco, tapas, ferias sont devenus les ingrédients d'un folklore généreux mais parfois dénaturé qui tend à donner de ce pays une image trop restrictive.

Car l'Espagne, c'est bien plus que cela. Ses richesses, elle les doit, comme la France, à la diversité de ses climats, de ses peuples et de leurs cultures, à la mosaïque de ses paysages et de ses provinces, à son passé de nation tour à tour conquérante et conquise. Les influences des Grecs, Phéniciens, Romains ou Maures, envahisseurs ou commerçants, ont laissé des marques indélébiles dans l'art, la culture et le cœur des Espagnols.

Aujourd'hui, quatre langues sont parlées officiellement en Espagne (le castillan, le catalan, le basque et le galicien), autant de volontés déployées par les habitants des provinces, de tous temps, pour sauvegarder leurs différences et leur identité.

Ces disparités géographiques, climatiques, socioculturelles et historiques, on les retrouve dans l'art culinaire, témoin de la variété des produits et des styles, ainsi que du savoir-faire d'un peuple respectueux de la terre nourricière.

Il faut citer la qualité des jambons de montagne (les serranos de Jabugo et de Trevelez comptent parmi les meilleurs et les plus chers du monde) mais aussi celle des chorizos et boudins, des fromages, des vins ou des huiles d'olive..., produits très souvent entretenus puis préparés dans un souci de perfection.

Les recettes qui suivent, inspirées des traditions des provinces d'Espagne et de l'héritage familial de l'auteur, se proposent de témoigner d'un art de vivre où la recherche du plaisir et de la convivialité le dispute souvent à un sens inné de la cuisine des temps de crise, en lesquels les Espagnols apprirent à élaborer des trésors de saveurs à partir des produits les plus élémentaires.

Tous les ingrédients nécessaires à la confection de ces plats sont faciles à trouver sur les marchés et dans les supermarchés français ou peuvent être remplacés sans inconvénient par des produits voisins.

Il s'agit le plus souvent d'une cuisine facile à réaliser, peu onéreuse mais saine et conviviale, à l'image de ce pays et de ses habitants.

Le riz

Le safran, pistil séché du Crocus sativa, était déjà utilisé en Grèce et dans la Rome antique pour ses vertus médicinales. Ce sont les Phéniciens ou les Arabes qui l'introduisirent en Espagne. Depuis, ce condiment très cher parfume et colore d'une façon inimitable nombre de recettes et particulièrement la paella. Aucun des colorants insipides utilisés aujourd'hui n'est à conseiller en lieu et place de ce précieux ingrédient. Les Hispano-Arabes répandirent également l'emploi des herbes aromatiques et des condiments, de même qu'ils participèrent à l'introduction dans la péninsule Ibérique d'un élément primordial : le riz.

Initialement cultivé de manière plus ou moins intensive dans la province de Valencia puis en Catalogne, le riz est devenu rapidement, dans toute l'Espagne, le support incontournable d'une grande variété de plats dont certains ont acquis une popularité internationale.

Le pimentón, Poivron rouge séché et réduit en poudre

Apparu au XVIIIe siècle dans la péninsule Ibérique, le pimentón, tiré des poivrons rouges séchés au soleil, a envahi l'Espagne entière en moins de cinquante ans.
Cet aromate est aujourd'hui l'un des plus employés dans toute la péninsule.
Chaque région produit en effet des pimentóns différents en force, en saveur et en couleur suivant les climats, les variétés de poivrons ou de piments utilisées et les techniques de séchage employées.

Les vins espagnols

Avec trente-quatre appellations d'origine (denominación de origen) reconnues et distribuées dans tout le pays, l'Espagne compte parmi les premiers pays vinicoles du monde. Chaque région possédant une appellation contrôlée est administrée par un Conseil régulateur responsable des normes de qualité qu'imposent les lois sur le vin, parmi les plus strictes d'Europe. Ainsi, toute bouteille étiquetée dans le pays comporte un numéro de série permettant de remonter, en cas de litige, jusqu'au négociant ou au cultivateur.

Depuis quelques années, ceux-ci se sont lancés dans la rénovation du vignoble, aussi bien à la recherche des cépages les plus traditionnels que dans l'expérimentation de nouvelles variétés, tant et si bien qu'il serait malaisé aujourd'hui de dresser une liste exhaustive de tous les vins de qualité que l'on trouve dans la péninsule. Parmi les régions viticoles les plus réputées, il faut citer bien sûr, au sud des Pyrénées, la Rioja, dont les vins (avec ceux de Jerez en Andalousie) sont les plus exportés. Héritiers des méthodes bordelaises disséminées sur les chemins de Compostelle, ces vins, vieillis longtemps en fûts de chêne, sont souvent appréciés, en France, pour leurs arômes incomparables de vanille et de fruits mûrs, leur longueur en bouche et leur faible taux d'alcool (12°). Les vins de Jerez, plus chauds (entre 15 et 20 % d'alcool), furent découverts

et baptisés « sherry » par les Anglais, qui en sont grands consommateurs. Les autres régions productrices, moins connues, n'en offrent pas moins des vins d'un grand intérêt : les rosés de Navarre, les blancs et mousseux de Penedés, élevés selon la méthode champenoise, les vins de la Mancha qui, avec 480 000 Ha, est l'un des vignobles les plus étendus au monde, ceux de Málaga, de Montilla Moriles, de Ribera del Duero de Cariñena, de Valdepeñas...

Ils sont de plus en plus fréquemment en France, dans les rayons des grandes surfaces ou les caves plus exigeantes des négociants. Qu'ils soient de la Rioja ou de Valdepeña, d'Ampurdan ou de Navarre, nous ne saurions que vous encourager à inviter à votre table ces vins d'Espagne.

Tapas

Dès le XIIIe siècle, le roi Alphonse X exigeait que, dans les tavernes, le vin fût toujours accompagné de quelque aliment, afin d'atténuer les effets de l'alcool sur les organismes à jeun.

Ainsi, les verres ou pichets étaient servis recouverts d'une tranche de pain, de charcuterie ou de fromage qui évitait par ailleurs que des poussières ou des insectes ne tombent dans le précieux liquide. D'où le nom de tapa, qui signifie couvercle.

Aujourd'hui très populaires, les tapas ont franchi les limites du pays et peuvent être dégustées, avec plus ou moins de bonheur, dans bien des bars dans le monde.

À l'heure des tapas, la reine à table est l'olive, fruit béni d'un arbre symbolique depuis l'Antiquité. Elle accompagne n'importe quel plat, se mange sans appétit et ne rassasie pas. Si l'Espagne en produit une multitude de variétés, celles du Midi de la France sont d'excellente qualité. On les trouve, sous bien des assaisonnements, sur la plupart des marchés. On ne négligera pas les charcuteries, jambons, saucissons, boudins, coupés très fin ou en cube, ainsi qu'un échantillon de fromages divers.

Seront également bienvenus les tramuzos (lupins en saumure), les petits légumes marinés au vinaigre ainsi que les fèves, pois chiches, amandes, noisettes, etc., séchés et salés. Il existe aussi

en Espagne une longue tradition de fruits de mer cuisinés en conserve (anchois, moules, couteaux, coques, poulpes...) dont certaines marques sont excellentes et qui allient variété et simplicité d'utilisation.

À côté de ces produits, on pourra servir aux convives, dans des récipients appropriés, des plats chauds ou froids, en petites quantités, que l'on aura préparés soi-même.

Bien des recettes se prêtent à être utilisées en tapas. Celles qui suivent ne sont qu'un très petit exemple. Évidemment, une table garnie de tapas et bien pourvue en vin offrira bien plus qu'un simple apéritif. Il serait surprenant en effet que vos convives aient encore faim après avoir « picoré » une telle variété de plats.

Ensalada del hortelano, Salade du

jardinier. Comme bien des salades, celle-ci connaîtra une infinité de variantes selon les ingrédients disponibles et leur assaisonnement, qui sera fonction des goûts de chacun (sauce à l'ail et au citron, sauce au vinaigre de xérès et au basilic, etc.). N'utiliser que de l'oignon très doux (de l'oignon rouge ou de la cébette) ou réduire les quantités de celui-ci. La betterave râpée sera de préférence crue.

Préparation
   Préparation : 30 minutes

Ingrédients
   1 laitue
   1 scarole
   2 endives
   1 branche de céleri
   1 oignon
   1 concombre
   2 carottes
   1 betterave râpée
   • Assaisonnement :
   huile d'olive
   vinaigre (ou citron)
   sel

Préparation
   Disposez tous ces ingrédients, coupés en rondelles, râpés ou hachés menu, dans un plat assez large pour que chaque convive puisse choisir selon ses goûts.
   Cette salade précédera ou suivra un plat consistant (paella, arroz al horno, etc.)
   Pour 6 personnes.

Gaspacho andaluz, Gaspacho andalous

Il existe deux sortes de gaspacho. Celui de la Mancha, préparé à base de gibier et frit à la poêle, et celui d'Andalousie, qui est une soupe froide de légumes. L'ingrédient commun à tous les gaspachos est le pain qui entre dans leur composition.

Préparation

Préparation : 30 minutes

Ingrédients

1 poivron vert
1 poivron rouge
8 tomates bien mûres
2 concombres
2 gousses d'ail
1 morceau de pain sec
25 cl d'huile d'olive
vinaigre, eau
sel

Préparation

Coupez les poivrons, retirez-en les graines et le pédoncule. Pelez, épépinez les tomates. Pelez les concombres et coupez-les. Épluchez l'ail.

Placez tous ces ingrédients dans un bol mixeur. Ajoutez le pain sec, l'huile, un peu de vinaigre, du sel et un peu d'eau. Mixez parfaitement et filtrez à travers une passoire. Servez froid, accompagné de légumes coupés en petits dés (concombres, tomates, oignons doux, poivrons).

Pour 4 personnes.

Espinacas a la catalana, Épinards

à la catalane. Les pignons et les raisins secs, couramment utilisés dans la cuisine de tout le pourtour méditerranéen, apportent ici gaieté et finesse à ce légume un peu austère.

Préparation/Cuisson

Préparation : 30 minutes
Cuisson : 20 minutes

Ingrédients

1,5 kg d'épinards frais
100 g de pignons
100 g de raisins secs
huile d'olive
sel, poivre

Préparation

Lavez les épinards et faites-les cuire dans un peu d'eau salée une dizaine de minutes. Faites-leur rendre le jus de cuisson en les pressant dans une passoire et hachez-les grossièrement sur une planche de bois.

Faites revenir les pignons à feu modéré dans un peu d'huile d'olive jusqu'à ce qu'ils commencent à dorer. Ajoutez alors les raisins secs. Au contact de l'huile chaude, ces derniers vont, l'espace de quelques instants, retrouver leur rondeur d'origine. Ajoutez alors les épinards, réduisez le feu et remuez continuellement, pendant quelques minutes, en veillant à ce que les pignons ne noircissent pas.
Salez et poivrez si nécessaire au moment de servir.
Pour 4 personnes.

Habas de Vitoria, Fèves Vitoria Riche en
protides et en vitamines, excellente source de minéraux, ce légume est consommé depuis toujours dans les pays méditerranéens, frais au printemps, séché l'hiver ou salé à l'apéritif.

Préparation/Cuisson
Préparation : 10 minutes
Cuisson : 50 minutes

Ingrédients
250 g de jambon de pays
250 g de poitrine salée
1 kg de fèves fraîches
huile d'olive
sel

Préparation
Faites cuire le jambon et la poitrine salée, coupés en dés (sauf quelques tranches très fines que l'on réserve entières), dans beaucoup d'eau. Lorsqu'ils sont pratiquement cuits, ajoutez les fèves écossées et poursuivez la cuisson à petits bouillons une vingtaine de minutes.

Goûtez, rectifiez en sel si nécessaire. Égouttez et versez dans un plat de terre. Recouvrez le tout avec le jambon et la poitrine restants, arrosez d'un filet d'huile d'olive, glissez le plat dans le four chaud et laissez gratiner quelques instants avant de servir.
Pour 4 personnes.

Buñuelos de alcachofas, Beignets

d'artichauts. Si les artichauts sont un peu gros, enlevez les feuilles les plus épaisses, jusqu'à ce qu'apparaissent les feuilles claires près du cœur, tranchez le sommet et ôtez le foin après les avoir coupés. Cuits ainsi, les artichauts révèlent leur saveur d'une manière incomparable.

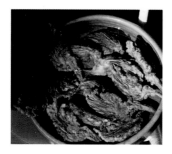

Préparation/Cuisson

Préparation : 20 minutes
Cuisson : 15 minutes
par série de beignets

Ingrédients

1 bouquet de petits
artichauts violets
50 g de farine
1 œuf
un peu de bière
huile, sel

Préparation

Coupez le pied et le sommet des feuilles d'artichauts, lavez-les, découpez-les en 6 quartiers dans le sens de la hauteur. Trempez-les dans une pâte que vous aurez préparée avec la farine, une pincée de sel, l'œuf battu et juste assez de bière pour que le mélange ne soit ni trop liquide ni trop épais.
Faites frire les beignets dans l'huile chaude. Salez et servez chaud.
Pour 4 personnes.

Pipirrana

Si l'on craint les mets trop salés, on peut faire tremper la morue la veille, dans de l'eau claire. Bien essorée, elle s'émiettera facilement.

Préparation
Préparation : 20 minutes

Ingrédients
2 tomates
1 poivron vert
1 oignon doux
1 petite salade verte
150 g de morue salée
persil
huile d'olive, vinaigre

Préparation
Coupez les tomates, le poivron et l'oignon doux en tout petits dés. Émincez finement la salade verte et mélangez tous ces ingrédients. Posez au centre du mélange la morue salée émiettée et saupoudrez le tout de persil.
Au moment de servir, assaisonnez d'huile d'olive et d'un filet de vinaigre.
Pour 4 personnes.

Picadillo

La manière dont sont coupés les ingrédients de cette salade estivale permet aux diverses saveurs de se mêler intimement. Choisir du thon à l'huile d'olive de bonne qualité. On pourra utiliser son huile pour l'assaisonnement.

Ingrédients

2 poivrons verts
1 petite scarole
2 tomates, 1 oignon doux
2 œufs durs, 2 gousses d'ail
1 boîte de thon à l'huile
huile d'olive
vinaigre de xérès
sel, poivre

Préparation/Cuisson

Préparation : 30 minutes
Cuisson : 15 minutes

Préparation

Faites cuire les poivrons verts 1/2 heure au four ou sous les braises. Enveloppez-les dans un torchon et laissez-les reposer. Épluchez-les ensuite, découpez-les très finement, ainsi que la salade, les tomates, l'oignon et les œufs durs froids. Ajoutez 2 gousses d'ail finement hachées et mélangez le tout.
Salez, poivrez, parsemez de thon et assaisonnez d'un filet d'huile et de vinaigre de xérès. Servez frais.
Pour 4 personnes.

Nidos de alcauciles, Nids de cœurs

d'artichauts. Parce qu'il était considéré au XVIᵉ siècle comme une plante aux vertus aphrodisiaques, la consommation de ce chardon comestible fut longtemps interdite aux femmes et aux jeunes filles.

Préparation/Cuisson
Préparation : 30 minutes
Cuisson : 20 minutes

Ingrédients
8 artichauts moyens
300 g de petites crevettes
cuites et décortiquées
2 œufs durs plus 1 jaune
d'œuf dur
1 bol de sauce mayonnaise
le jus d'1/2 orange

Préparation
Lavez et débarrassez les
artichauts de leurs feuilles
jusqu'à ce qu'apparaissent les feuilles tendres près du cœur.
Coupez-les à un tiers de leur hauteur, évidez-les, ôtez le foin et faites-les cuire dans une grande quantité d'eau bouillante salée. Coupez ensuite le pied de manière à qu'ils tiennent debout. Préparez la garniture en mélangeant les petites crevettes décortiquées, les œufs durs coupés en tout petits morceaux et une mayonnaise légère à laquelle vous aurez mélangé, après préparation, le jus d'une demi-orange. Rectifiez l'assaisonnement et remplissez le creux des artichauts. Saupoudrez la surface de jaune d'œuf émietté et mettez au frais avant de servir.
Pour 4 personnes.

Pán con tomate, Pain à la tomate. Miracle de

simplicité et de saveur, le pain à la tomate (pa amb tomaquet en langue catalane) est l'incontournable accompagnement des fromages, charcuteries, anchois, etc. Mais il sait aussi se suffire à lui-même, pour le goûter des enfants et des adultes.

On peut ne pas ailler le pain.

Préparation/Cuisson

Préparation : 15 minutes
Cuisson : 2 minutes

Ingrédients

des tranches de bon pain de
campagne d'1 cm d'épaisseur
quelques gousses d'ail
des tomates bien mûres
huile d'olive
sel

Préparation

Faites griller les tranches de pain. Frottez-en la surface avec une gousse d'ail épluchée puis avec une demi-tomate bien mûre qui laisse sa pulpe et son jus sur le pain. Répandez un filet d'huile d'olive vierge, salez et servez.

Pour accompagner les tapas, mixez la chair des tomates (pelées et épépinées) avec 1 ou 2 gousses d'ail, du sel et un filet d'huile d'olive. Servi dans un bol, ce coulis sera tartiné sur le pain grillé au dernier moment.

Pimientos en aceite, Poivrons à l'huile

Les poivrons ainsi préparés, qui se conservent sans crainte plusieurs jours au frais, peuvent être servis comme tapas, accompagnés d'anchois et d'olives, ou en accompagnement de viandes grillées.

Préparation/Cuisson

Préparation : 30 minutes
Cuisson : 40 minutes

Ingrédients

3 poivrons rouges
3 gousses d'ail
persil
huile d'olive
sel, poivre

Préparation

Lavez les poivrons, enveloppez-les un par un dans une feuille d'aluminium et faites-les cuire 40 minutes à four chaud ou sous la braise. Enroulez-les ensuite 1/4 d'heure dans un torchon pour les faire transpirer. Épluchez-les (la peau se retire très facilement), enlevez graines et pédoncule et découpez-les en lanières. Disposez celles-ci dans un plat allongé. Ajoutez l'ail et le persil finement hachés. Salez, poivrez et arrosez généreusement d'huile d'olive.
Pour 4 personnes.

Tortilla de patatas, Omelette aux pommes

de terre. Avec un peu d'expérience, on peut à loisir réaliser toutes sortes d'omelettes, selon les produits disponibles et l'humeur du moment. La pomme de terre, l'oignon, le champignon de couche ou de forêt, la courgette, le poivron, l'artichaut, l'asperge, les plantes aromatiques... sont couramment utilisés dans l'élaboration des tortillas. On trouve également dans certaines régions des omelettes qui sont de vrais plats cuisinés, aux rognons ou à la cervelle d'agneau, au jambon, aux sardines, etc.

Préparation/Cuisson

Préparation : 15 minutes

Repos : 30 minutes

Cuisson : 30 minutes

Ingrédients

2 oignons

3 pommes de terre

2 gousses d'ail

5 œufs

10 cl d'huile

persil, sel, poivre

Préparation

Pelez, coupez les oignons en rondelles et faites-les revenir dans l'huile en remuant jusqu'à ce qu'ils deviennent transparents. Égouttez, réservez et récupérez l'huile. Épluchez, lavez, coupez les pommes de terre en dés et faites-les revenir avec les gousses d'ail dans l'huile des oignons. Lorsqu'elles sont cuites, cinq minutes avant de les retirer, ajoutez les oignons. Mélangez et éteignez. Laissez tiédir et incorporez le tout aux œufs battus. Salez, poivrez, ajoutez le persil haché et laissez reposer le mélange 1/2 heure. Mélangez bien et versez dans la poêle chaude et huilée. Laissez cuire à feu doux.

Posez une assiette sur la poêle et retournez le tout. Refaites glisser l'omelette de l'assiette dans la poêle et laissez saisir l'autre face quelques instants (quelques secondes a peine si on l'aime baveuse).

Servez chaud, accompagné d'une salade, ou froid, découpé en petits carrés, à l'apéritif.

Pour 4 personnes.

Papas aliñadas, Petite salade aux pommes de terre

On prendra soin de choisir des pommes de terre qui restent entières à la cuisson.

Préparation/Cuisson
Préparation : 15 minutes
Cuisson : 20 minutes

Ingrédients
500 g de pommes de terre
1 oignon
1 tomate
1 poivron vert
persil
10 cl d'huile d'olive
vinaigre
sel

Préparation
Épluchez et coupez les pommes de terre en rondelles. Faites-les cuire dans l'eau salée avec un morceau d'oignon. Égouttez-les et laissez-les refroidir. Hachez finement la tomate, le poivron vert et le persil et incorporez-les aux pommes de terre. Ajoutez l'huile, un trait de vinaigre, le sel et laissez rafraîchir dans le réfrigérateur. Saupoudrez de persil frais haché au moment de servir.
Pour 4 personnes.

Mejillones rebozados, Moules enrobées

On comptera en moyenne une demi-douzaine de coquilles par personne.
Choisir de préférence des mollusques de belle taille, qui resteront moelleux
à cœur sous un enrobage croustillant.

Préparation/Cuisson

Préparation : 30 minutes
Cuisson : 30 minutes

Ingrédients

2 kg de moules moyennes
2 tomates
3 gousses d'ail
1 petit oignon
1 poignée de persil
1 pincée de graines de cumin
2 cuillères de chapelure
3 œufs
farine
huile de friture
le jus d'1 citron
sel, poivre

Préparation

Nettoyez les moules et faites-les ouvrir dans un grand récipient sans eau en les remuant de temps en temps. Égouttez-les, retirez-les de leurs coquilles (conservez 24 des plus belles) et hachez-les finement. Par ailleurs, mixez les tomates, l'ail, l'oignon, le persil et les graines de cumin. Incorporez à ces ingrédients deux cuillères de chapelure et un œuf. Salez, poivrez et battez le tout en une pâte homogène. À l'aide d'une cuillère à soupe, emplissez les demi-coquilles de ce mélange, passer-les dans deux œufs battus puis dans un mélange de chapelure et de farine. Plongez-les alors dans la friteuse jusqu'à ce qu'elles soient bien dorées, égouttez-les et servez-les arrosées de jus de citron.
Pour 4 personnes.

Empanadillas de atún, Chaussons au

thon. On peut servir ces chaussons chauds, en entrée, en accompagnement d'une salade verte, mais ils sont aussi excellents froids, à l'heure des tapas.

Préparation/Cuisson

Préparation : 30 minutes
Cuisson : 30 minutes

Ingrédients

300 g de farine
10 cl d'huile d'olive
15 cl de vin blanc
1 poivron rouge
1 poignée de pignons
1 oignon, 3 tomates
thon frais cuit ou 1 boîte
de thon au naturel
2 œufs durs
huile de friture
sel, poivre

Préparation

Travaillez ensemble la farine, l'huile d'olive, le vin blanc et un peu de sel. Étalez cette pâte au rouleau, sur un plan de travail fariné, en une couche assez mince dans laquelle vous découpez des ronds en vous aidant du contour d'un verre assez large. Entre-temps, faites revenir dans un peu d'huile le poivron rouge, les pignons, l'oignon émincé, et les tomates pelées, épépinées et concassées.

Retirez du feu après une quinzaine de minutes et ajoutez à la sauce obtenue le thon émietté et les œufs durs découpés en petits dés. Salez, poivrez. Posez une cuillère à soupe de ce mélange au centre de chaque rond de pâte. Repliez cette dernière, en humectant les bords avec un peu d'eau et soudez-les à l'aide d'une fourchette. Faites frire les chaussons sur chaque face dans de l'huile très chaude. Égouttez-les sur du papier absorbant et servez-les chauds ou froids.

Pour environ 12 chaussons.

Almejas a la marinera, Palourdes

marinières. Cette recette n'est pas réservée aux seules palourdes, même si celles-ci sont particulièrement savoureuses cuisinées de cette manière (on peut utiliser des moules, des coques ou des clovisses).

Préparation/Cuisson

Trempage : 2 heures
Préparation : 20 minutes
Cuisson : 20 minutes

Ingrédients

1,5 kg de palourdes
10 cl d'huile d'olive
2 gousses d'ail
1 oignon
1 cuillère de farine
1 verre de vin blanc
persil
sel, poivre blanc

Préparation

Faites tremper les coquillages dans de l'eau fraîche salée, pendant deux heures environ, afin qu'ils rejettent leur sable. Entre-temps, faites revenir dans l'huile l'ail haché puis l'oignon très finement émincé, en remuant continuellement et à petit feu pour les empêcher de roussir. Incorporez la farine, remuez encore quelques instants et versez le verre de vin. Augmentez le feu et ajoutez les palourdes au moment de l'ébulition. Couvrez et réduisez le feu. Lorsque les mollusques commencent à s'ouvrir, tournez-les avec une cuillère de bois. Goûtez, salez si nécessaire, poivrez, saupoudrez généreusement de persil haché fin et servez immédiatement.
Pour 4 personnes.

Albóndigas de bacalao, Croquettes

de morue. La morue, ressource emblématique des mers du Nord, conditionne la vie des hommes qui partent à sa poursuite, calquant leur rythme de vie sur celui des poissons. Fraîche, salée ou fumée, elle est aussi très largement représentée dans la cuisine espagnole depuis des temps immémoriaux.

Préparation/Cuisson

Dessalage : 24 heures
Repos : 15 minutes
Préparation : 30 minutes
Cuisson : 40 minutes

Ingrédients

350 g de morue salée
400 g de pommes de terre
3 gousses d'ail
1 petit bouquet de persil
1 petite poignée de pignons
poivre, pimentón
3 œufs
farine, chapelure mélangées
huile de friture

Préparation

Faites dessaler la morue
24 heures dans de l'eau
fraîche régulièrement
renouvelée. Une fois bien
égouttée, émiettez-la
en prenant soin de la
débarrasser de toutes
ses arêtes. Faites cuire les
pommes de terre à grande
eau salée. épluchez-les,
réduisez-les en purée.
Hachez l'ail et le persil.
Faites dorer les pignons à la
poêle dans un peu d'huile.
Rassemblez tous ces
ingrédients dans
un récipient, saupoudrez
de poivre et de pimentón.
Travaillez le mélange à la
fourchette et laissez reposer
15 minutes. Battez les œufs
dans une assiette creuse,
versez le mélange
farine/chapelure dans une
autre. À l'aide d'une cuillère,
prélevez de petites quantités
du mélange, faites-en
des boulettes de la grosseur
d'une noix et roulez celles-ci
dans le mélange
farine/chapelure, puis dans
les œufs battus et à nouveau
dans la farine/chapelure.
Faites-les dorer dans une
friteuse. Égouttez sur
du papier absorbant
et servez chaud.
Pour 4 personnes.

Sardinas San Pedro, Sardines San Pedro

Une recette riche en saveur pour changer des traditionnelles et estivales sardines grillées...

Préparation/Cuisson

Préparation : 20 minutes
Marinade : quelques heures
Cuisson : quelques minutes

Ingrédients

50 g de sardines très fraîches
3 gousses d'ail hachées
1 verre de persil haché
1 verre d'huile d'olive
sel, poivre
50 g de farine, chapelure
1 citron

Préparation

Levez les filets des sardines à l'aide d'un couteau bien aiguisé. Lavez-les, essuyez-les soigneusement et faites-les mariner quelques heures dans un mélange d'ail et de persil hachés très fin, d'huile d'olive, de sel et de poivre. Passez-les ensuite dans le mélange farine/chapelure et faites-les frire, par petites quantités, dans l'huile chaude. Égouttez-les sur du papier absorbant. Arrosez de citron au moment de servir.
Pour 4 personnes.

Sepia a la plancha, Seiches à la plancha

C'est à notre avis la manière la plus simple et savoureuse de cuisiner ce mollusque. Choisir de préférence des blancs de seiche bien charnus.

Préparation/Cuisson
Préparation : 20 minutes
Cuisson : 10 minutes

Ingrédients
1 kg de blancs de seiche
huile d'olive
ail, persil
sel, poivre
citron

Préparation
Enlevez la partie contenant le bec et les yeux si nécessaire. Séparez les tentacules, ouvrez les corps dans leur longueur et videz-les. Lavez le tout. Réservez les tentacules nettoyés. À l'aide d'un couteau aiguisé, striez finement la chair des seiches à l'intérieur du corps puis découpez-les en rectangles d'environ 2 cm sur 4 cm. Faites revenir ensuite les tentacules et la chair des seiches à feu vif dans une poêle modérément huilée. Ajoutez l'ail et le persil hachés, salez et poivrez tout en remuant avec une cuillère ou une spatule en bois. Laissez cuire quelques minutes après que l'eau libérée par les seiches se soit évaporée, sans cesser de remuer. Éteignez dès que les morceaux sont tendres. Servez chaud, en arrosant de jus de citron.
Pour 4 personnes.

Gambas a la plancha, Crevettes à la plancha

Préparation/Cuisson

Préparation : 10 minutes

Cuisson : 15 minutes

Ingrédients

500 g de crevettes crues

huile d'olive

ail, persil hachés

sel, poivre

3 cl de cognac (brandy)

citron

Préparation

Lavez les crevettes. Faites-les revenir 10 minutes sur leurs deux faces dans un peu d'huile. Saupoudrez-les d'ail et de persil hachés, de sel et de poivre. Faites-les sauter encore 5 minutes. Arrosez-les d'un petit verre de cognac (brandy) et faites-les flamber. Servez aussitôt, arrosé de jus de citron.
Pour 4 personnes.

Sardinas San Miguel, Sardines San Miguel.

Pour cette tapa qui ravit le palais, arrosée de fino ou de vin blanc bien sec, on peut aussi utiliser des anchois, que l'on trouve frais chez les poissonniers de mai à septembre.

Préparation

Préparation : 20 minutes
À l'avance : 12 heures

Ingrédients

750 g de sardines très fraîches
3 gousses d'ail hachées
1 verre de persil haché
1 cuillère à café de marjolaine ou d'origan
1 verre d'huile d'olive
le jus de 2 citrons
sel, poivre

Préparation

Coupez les têtes et ouvrez les sardines dans la longueur. Ôtez l'arête centrale, lavez les filets et essuyez-les soigneusement. Allongez-les en couches successives dans un plat de céramique ou de verre, saupoudrez chaque couche d'un mélange d'ail, de persil et de marjolaine hachés très fin. Battez ensemble dans un bol l'huile d'olive, le sel, le poivre et le jus de citron et versez cet assaisonnement sur les filets jusqu'à les recouvrir. Conservez une nuit au frais avant de servir.
Pour 4 personnes.

Pescadito frito, Petite friture

Du côté de Cadix, le soir à la terrasse des cafés, c'est un vrai plaisir que de pouvoir déguster, arrosées de fino, ces fritures de toutes sortes servies dans de grands cornets de papier.

Préparation/Cuisson

Préparation : 15 minutes
Macération : 1 heure
Cuisson : 10 minutes

Ingrédients

250 g de petits poissons au choix (rougets, merluchons, solettes, anchois...)
250 g de saumonette, colin
250 g de calamars, crevettes
lait
farine, chapelure
huile
citron
sel

Préparation

Nettoyez et videz les poissons. Coupez les plus gros en morceaux et les calamars en rondelles. Faites-les macérer 1 heure dans du lait. Roulez-les ensuite dans un mélange de farine et de chapelure et faites-les frire par petites quantités dans de l'huile très chaude. Égouttez-les sur du papier absorbant. Salez-les et consommez-les chauds, arrosés de jus de citron.
Pour 4 personnes.

Dorada a la sal, Dorade au sel On peut utiliser,

pour ce plat délicieux que confectionnaient à l'origine les pêcheurs de la province de Murcie (Murcia), d'autres poissons à chair ferme et savoureuse : loup, saumon, bonite, saint-pierre...

Préparation/Cuisson

Préparation : 10 minutes
Cuisson : 40 minutes

Ingrédients

1 dorade de 1,2 kg
2,5 kg de gros sel
huile d'olive

Préparation

Versez une couche épaisse de gros sel dans un plat allant au four et posez-y la dorade, lavée mais ni vidée ni écaillée. Recouvrez-la entièrement de sel et passez-la à four modéré une quarantaine de minutes. Débarrassez ensuite délicatement le poisson de la croûte qui le recouvre et servez très chaud, accompagné de riz safrané et d'un filet d'huile d'olive. *Pour 4 personnes.*

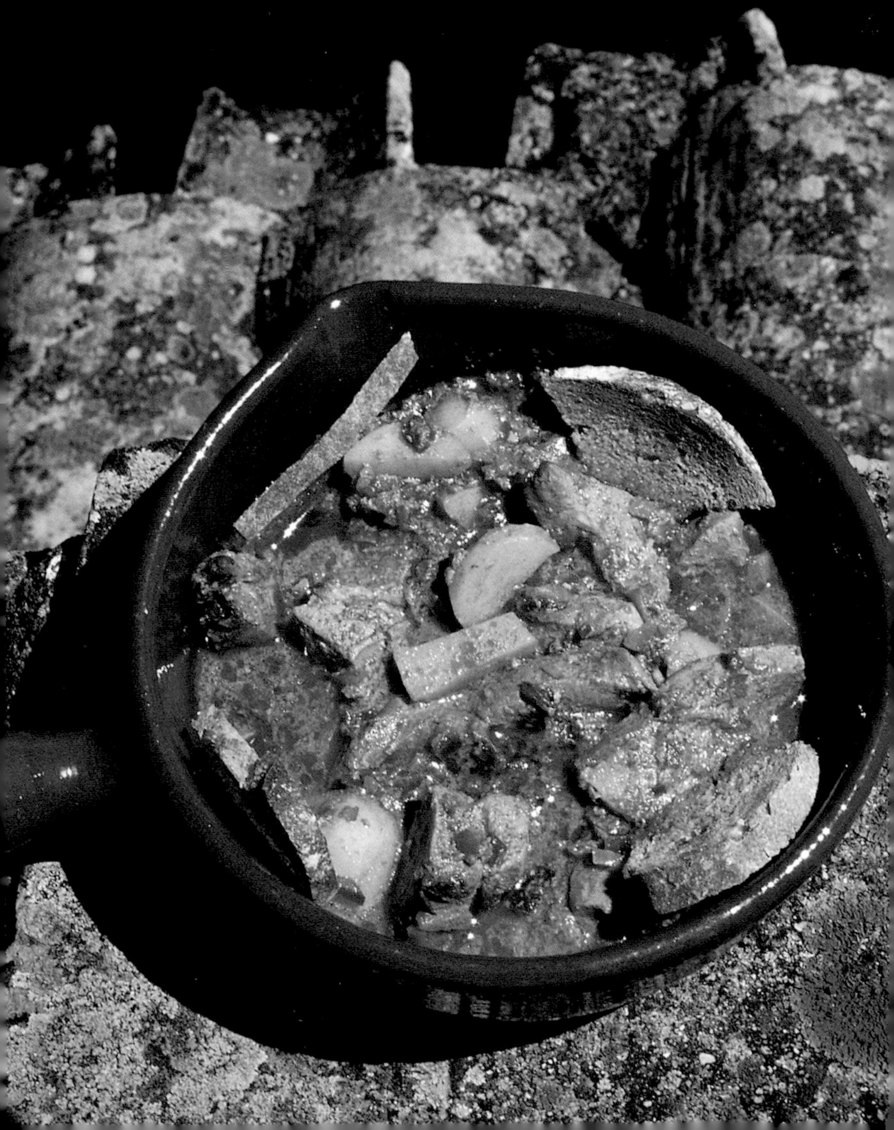

Marmitako
Le Pays basque est l'une des premières régions gastronomiques espagnoles. Voici un ragoût de bonite (sorte de petit thon) très populaire qui, traditionnellement, se cuisine dans un plat de terre. On peut relever ce plat avec une pincée de piment.

Préparation/Cuisson
Préparation : 40 minutes
Cuisson : 45 minutes

Ingrédients
1 kg de thon
15 cl d'huile
1 oignon
4 poivrons verts
3 gousses d'ail
piment (facultatif)
1 tasse de sauce tomate
1 cuillère à café de pimentón
800 g de pommes de terre
4 tranches de pain frit frottées à l'ail
sel

Préparation
Lavez les tranches de thon et coupez-les en dés de 1 à 2 cm. Faites bouillir les arêtes et les peaux 30 minutes dans une casserole d'eau salée. Filtrez ce court-bouillon et réservez-le . Faites dorer dans l'huile l'oignon, l'ail et les poivrons verts très finement émincés, et le piment (facultatif). Ajoutez la sauce tomate puis le pimentón et laissez mijoter quelques instants. Incorporez les pommes de terre coupées en cubes et recouvrez le tout de court-bouillon. Laissez mijoter jusqu'à cuisson des pommes de terre. Retirez alors du feu, ajoutez les morceaux de thon, les tranches de pain frit frottées à l'ail et couvrir. Le poisson va cuire très vite à la chaleur du plat de terre, tout en restant moelleux. Salez
Pour 4 personnes.

Suquet

Le choix des poissons est facultatif et sera fonction de la saison ou des provenances. Ceux-ci doivent avoir une chair ferme et peu d'arêtes (on peut aussi utiliser du saint-pierre, du loup...).

Préparation / Cuisson

Préparation : 40 minutes
Cuisson : 1 h 10 minimum

Ingrédients

2 grondins de taille moyenne
12 crevettes de taille
moyennes
1 belle queue de lotte
4 langoustines
8 grosses moules
1 bulbe de fenouil
4 pommes de terre
1 oignon
1 tête d'ail
1 petit piment (facultatif)
4 tranches de pain frit aillé
• Hachis :
Le foie de lotte
12 amandes dorées à la poêle
2 branches de persil
2 biscottes

Préparation

Préparez un court-bouillon léger en faisant bouillir dans un litre d'eau salée les têtes des grondins et des crevettes (on peut demander à son poissonnier une ou deux têtes supplémentaires ou utiliser du fumet déshydraté afin de donner plus de saveur au bouillon), le fenouil coupé en morceaux et le piment (facultatif). Laissez cuire 30 à 45 minutes. Filtrez et réservez. Épluchez, lavez et coupez les pommes de terre. Disposez-les au fond d'une cocotte de fonte. Ajoutez l'oignon coupé en rondelles et la tête d'ail entière, la lotte débarrassée de ses peaux et découpée en tronçons, ainsi que les morceaux de grondins. Mouillez à mi-hauteur avec du fumet de poisson, portez à ébullition et laissez cuire 15 minutes. Délayez dans le bouillon le hachis réalisé avec le foie de lotte, les amandes, le persil et les biscottes mixés ensemble. Ajoutez les langoustines, les crevettes, les moules et laissez mijoter encore une dizaine de minutes. Servez avec des tranches de pain frit et aillé *Pour 4 personnes.*

Paella

Cuite traditionnellement au feu de bois, la paella était principalement, par le passé, un plat campagnard et paysan. Elle est devenue de nos jours aux yeux du monde, au même titre que le gaspacho andalou, le symbole de la cuisine espagnole. Au cours d'un repas convivial, chacun mangera à même le plat, posé au centre d'une table ronde. Il est conseillé de l'arroser de jus de citron au dernier moment.

Préparation/Cuisson
Préparation : 1 heure
Cuisson : 1 h 30

Ingrédients
20 cl d'huile d'olive
2 gousses d'ail, 1 gros oignon
1 poivron rouge et 1 vert
(petits)
500 g de calamars ou seiches
500 g de moules
12 gambas crues
6 langoustines
1 kg de viande (poulet,
lapin ou porc)
1 verre de vin blanc
2 tomates
2 artichauts
500 g de riz (de préférence
non étuvé)
1 tasse de petits pois
piment doux (pimentón)
safran
sel, poivre

Préparation

Faites chauffer dans un plat à paella d'une trentaine de centimètres de diamètre suffisamment d'huile pour en recouvrir le fond. Faites-y revenir l'ail non pelé, l'oignon, le poivron et la seiche coupés en gros quartiers. Remuez sans cesse à l'aide d'une spatule en bois puis retirez ces ingrédients, Égouttez-les et réservez-les. Dans la même huile ainsi parfumée, faites dorer à feu vif la viande sur toutes ses faces, salez, poivrez puis déglacez avec le vin blanc et ajoutez la tomate hachée. Laissez réduire à feu modéré puis incorporez les artichauts, débarrassés de leurs grosses feuilles et coupés en quartiers dans le sens de la longueur, et le mélange poivrons, oignon, seiche. Laissez mijoter à feu modéré 15 minutes en remuant de temps en temps pour que les saveurs se mêlent. Entre-temps, faites ouvrir les moules dans une casserole puis réservez-les. Filtrez le jus, allongez-le d'eau afin d'obtenir un litre de liquide. Faites-y cuire les têtes des gambas et les langoustines 15 minutes. Retirez les langoustines et réservez-les. Filtrer le bouillon obtenu. Dans le plat à paella, répartissez uniformément le riz parmi les autres ingrédients. Ajoutez les petits pois, saupoudrez de pimentón et versez le bouillon (à raison de 2 volumes pour 1 volume de riz) dans lequel vous aurez fait dissoudre le safran. Disposez les gambas, les langoustines et plantez dans le riz les moules débarrassées d'une de leurs coquilles. Faites cuire à petits bouillons. Goûtez et, si besoin, rectifiez en sel mais ne remuez plus jusqu'à absorption du jus de cuisson. Éteignez, couvrez le plat d'un torchon blanc humide pendant une dizaine de minutes. Le riz n'en sera que plus moelleux.
Pour 6 personnes.

Bacalao al pil pil, Morue salée au pil pil

C'est du mouvement de va-et-vient permanent que l'on applique au plat pendant sa cuisson que dépend la réussite de cette savoureuse recette du Pays basque.

Préparation/Cuisson

Préparation : 30 minutes
Dessalage : de 24 à 36 heures
Cuisson : 40 minutes

Ingrédients

600 g de morue salée
avec la peau
6 gousses d'ail
15 cl d'huile d'olive
1 poignée de feuilles de persil
1 petit piment

Préparation

Coupez la morue salée en morceaux d'environ 100 g chacun et faites-la tremper entre 24 et 36 heures dans de l'eau claire en changeant celle-ci au moins deux fois. Lavez la morue, écaillez-la si nécessaire et déposez-la sur du papier absorbant. Coupez les gousses d'ail en deux dans la longueur et faites-les dorer dans l'huile chaude avec le persil et le piment. Retirez ces ingrédients à l'aide d'une écumoire avant qu'ils ne brûlent. Dans la même huile, un peu refroidie, déposez la morue côté peau contre le fond. Saisissez alors le récipient à deux mains (s'aider de gants protecteurs si nécessaire) et appliquez-lui un mouvement régulier de va-et-vient pendant une quinzaine de minutes. Ce mouvement va permettre à la gélatine contenue dans la peau du poisson de lier l'huile et le jus de cuisson en une sauce blanche et onctueuse. Ajoutez l'ail et le persil sur la morue sans cesser de remuer et servez aussitôt avec des pommes de terre vapeur.
Pour 4 personnes.

Merluza en salsa verde, Colin en

sauce verte. Cette sauce verte, qui utilise l'incontournable duo ail et persil, participe ici à l'élaboration d'une recette du Pays basque populaire et originale.

Préparation/Cuisson

Préparation : 15 minutes

Cuisson : 15 minutes

Ingrédients

4 belles darnes de colin
ou de cabillaud
farine
10 cl d'huile
4 gousses d'ail
1 bouquet de persil
sel, poivre

Préparation

Lavez et essuyez les darnes de poisson, farinez-les et faites-les cuire sur leurs deux faces à feu vif dans l'huile chaude. Entretemps, mixez l'ail, le persil et une cuillère à soupe de farine, ajoutez un verre d'eau et mixez à nouveau. Passez au tamis et versez cette préparation sur le poisson dans la poêle. Salez, poivrez. Laissez bouillir 30 secondes et servez avec des pommes de terre vapeur. *Pour 4 personnes.*

Merluza a la sidra, Colin au cidre

Le colin, très populaire en Espagne, peut être plus difficile à trouver sur nos étals que le cabillaud, qui le remplacera alors sans que ce plat typique des Asturies n'en perde de sa finesse.

Préparation/Cuisson

Préparation : 30 minutes
Cuisson : 50 minutes

Ingrédients

1 kg de colin (ou cabillaud)
2 à 3 douzaines de clovisses
100 g de farine
20 cl d'huile
400 g de pommes de terre
3 gousses d'ail
3 oignons
1/2 kg de tomates pelées
1/2 cuillère à café de pimentón
20 cl de cidre brut

Préparation

Coupez le poisson en tronçons, salez-les , farinez-les et faites-les frire dans l'huile chaude. Faites frire également les pommes de terre épluchées et coupées en rondelles peu épaisses. Disposez ces dernières au fond d'un plat de terre et recouvrez-les avec les darnes de poisson.

Filtrez l'huile de friture et faites revenir dans celle-ci l'ail et les oignons finement émincés.

Ajoutez les tomates pelées et le pimentón. Laissez cuire tout en remuant. Versez ensuite le cidre et retirez aussitôt du feu. Salez et passez cette sauce au presse-purée avant de la répartir sur le poisson et les pommes de terre. Disposez les clovisses sur le plat et enfournez une dizaine de minutes jusqu'à ce que les coquilles s'ouvrent.
Pour 4 personnes.

Rape a la gallega, Lotte galicienne

La Galice, à l'extrême nord-ouest de l'Espagne, est une région froide et humide. Si les fruits de mer et le poisson y sont une tradition séculaire, on trouve dans l'arrière-pays une gastronomie basée sur a chasse et l'élevage ou héritée de la cuisine des grands monastères.

Préparation/Cuisson

Préparation : 15 minutes

Cuisson : 40 minutes

Ingrédients

1 kg de queues de lotte

750 g de pommes de terre

2 oignons

2 gousses d'ail

2 feuilles de laurier

piment, pimentón

1 cuillère de vinaigre

huile

Préparation

Aillade : émincez l'ail et l'oignon et faites-les revenir avec le laurier dans l'huile. Lorsque tout est bien doré, retirez du feu et laissez refroidir quelques instants avant d'y ajouter le pimentón, le piment et un trait de vinaigre.

Par ailleurs, nettoyez et coupez la lotte en darnes de 2 cm. Dans une casserole, faites cuire les pommes de terre coupées en rondelles et recouvertes d'eau salée. Quelques instants avant qu'elles n'aient fini de cuire, ajoutez-leur la lotte, l'oignon coupé en rondelles et le laurier.

Laissez cuire 5 à 10 minutes, jusqu'à ce que les pommes de terre soient cuites mais fermes. Égouttez et arrosez avec l'aillade avant de servir.

Pour 4 personnes.

Macarones de Carmen, Macaronis de

Carmen. **Pour donner davantage de saveur à ce plat, on peut faire bouillir un talon de jambon ou un bouillon cube dans l'eau des pâtes. Les ingrédients (jambon, oignons, tomates) seront coupés très fin afin que cette farce pénètre bien jusqu'au cœur des pâtes.**

Préparation/Cuisson

Préparation : 20 minutes
Cuisson : 50 minutes

Ingrédients

500 g de macaronis
10 cl d'huile
200 g de jambon cru
400 g de chair à saucisse
2 gros oignons
500 g de tomates pelées et
épépinées
sel, poivre, piment
fromage manchego
(ou cantal) râpé

Préparation

Faites cuire les macaronis
dans une grande quantité
d'eau bouillante salée
additionnée d'une cuillère
à soupe d'huile. Retirez-les
lorsqu'ils sont à point
(al dente), égouttez-les
et réservez-les .
Dans une grande poêle, faites
revenir le jambon, la chair à
saucisse et les oignons, très
finement émincés. Ajoutez
la chair concassée des
tomates, salez, poivrez,
pimentez et laissez réduire
une vingtaine de minutes
en remuant. Ajoutez alors
les pâtes et mélangez-les
avec soin, à feu doux,
à l'aide d'une cuillère en bois.
Versez le tout dans un plat
allant au four, couvrez d'une
couche de fromage râpé et
laissez dorer une dizaine de
minutes.
Pour 4 personnes.

Pollo al chilindrón, Chilindrón de poulet

C'est un plat aragonais où se mêlent la tomate et le poivron, importés d'Amérique par les Conquistadores. Cette recette campagnarde porte le nom d'un jeu de cartes qui fut très populaire au xvıı^e siècle. On peut également le confectionner avec de l'agneau.

Préparation/Cuisson

Préparation : 20 minutes

Cuisson : 1 heure

Ingrédients

1 poulet jeune et tendre

10 cl d'huile

1 gousse d'ail

sel, poivre

200 g de jambon cru

1 oignon

3 poivrons rouges

Préparation

Découpez le poulet en morceaux et faites revenir ceux-ci dans l'huile avec la gousse d'ail. Salez, poivrez et laissez dorer. Ajoutez le jambon, coupé en lamelles, et l'oignon finement émincé. Lavez et coupez les poivrons en morceaux les plus petits possible et ajoutez-les au poulet après une dizaine de minutes de cuisson. Laissez mijoter le tout jusqu'à ce que le poulet soit bien tendre.

Pour 4 personnes.

Codorniz con pimientos, Cailles

aux poivrons. Traditionnellement, ce plat de Navarre était préparé à la
fin de l'été, au moment de la migration des cailles. Une variante originale
de ce plat consiste à farcir chaque poivron, débarrassé du pédoncule et des
graines, avec une caille après avoir flambé celle-ci au cognac, et à les
passer une trentaine de minutes au four, arrosés d'un verre de bouillon de
volaille.

Préparation/Cuisson

Préparation : 50 minutes
Cuisson : 1 h 10

Ingrédients

8 cailles
2 tranches de poitrine salée
ou de jambon cru
15 cl d'huile
1 petit verre de cognac
4 poivrons rouges
1 verre de bouillon de volaille
ou de viande
sel, poivre

Préparation

Lavez les poivrons bien mûrs
et placez-les au four une
demi-heure. Enveloppez-les
ensuite quelques minutes
dans un linge pour les faire
suer, pelez-les et découpez-
les en lanières. Réservez.
Videz et nettoyez les cailles.
Placez dans e ventre de
chacune d'elles un morceau
de poitrine salée ou de
jambon cru. Salez, poivrez
l'intérieur et faites-les sauter
5 minutes à feu modéré dans
un peu d'huile. Augmentez le
feu pour qu elles dorent et
flambez-les au cognac.
Ajoutez les poivrons, arrosez
d'huile et de bouillon.
Rectifiez l'assaisonnement et
faites cuire une demi-heure à
four moyen. Servir très
chaud. *Pour 4 personnes.*

Conejo y pollo empanado

al ajillo, Lapin et poulet panés à l'ail. On choisira des volailles fermières, plus fermes et goûteuses, qui seront mises à mariner de préférence la veille. La viande n'en sera que plus savoureuse.

Préparation/Cuisson

Préparation : 20 minutes
Au frais : 3 heures au moins
Cuisson : 15 minutes

Ingrédients

1 lapin et 1 poulet de taille moyenne
5 gousses d'ail
thym
10 cl d'huile d'olive
sel, poivre
3 œufs
chapelure, farine

Préparation

Ôtez la peau du poulet et découpez-le, ainsi que le lapin, en petits morceaux ; placez ceux-ci dans un plat. Hachez l'ail et frottez-en la viande sur toutes ses faces. Saupoudrez de thym. Arrosez généreusement d'huile d'olive, salez, poivrez et laissez mariner au frais 3 heures au moins, toute la nuit de préférence. Battez les œufs et trempez-y les morceaux de volaille. Rouler-les ensuite dans un mélange de farine et de chapelure et faites-les frire dans l'huile à feu modéré. Une fois bien dorés, égouttez-les et servez-les accompagnés de salade.
Pour 6 personnes.

Muslos de pato con manzanas,

Cuisses de canard aux pommes. On pourra accompagner cet excellent plat d'automne de pâtes fraîches ou de pommes de terre rissolées. Par ailleurs, si possible, un bon calvados remplacera avantageusement le brandy pour le flambage.

Préparation/Cuisson

Préparation : 35 minutes
Cuisson : 50 minutes

Ingrédients

4 belles cuisses de canard
huile d'olive
2 gousses d'ail
3 cl de brandy
(cognac espagnol)
1 poignée de pignons
3 échalotes
1 petit poireau
150 g de champignons
de couche
10 cl de cidre brut
1 verre de bouillon de volaille
3 pommes
sel, poivre

Préparation

Débarrassez les cuisses de canard de leur peau et les faites-les dorer dans un peu d'huile avec les gousses d'ail non épluchées. Aspergez-les de brandy et faites-les flamber. Ajoutez ensuite les pignons, les échalotes finement émincées, le poireau haché menu, les champignons. Laissez revenir une quinzaine de minutes à feu modéré en remuant de temps à autre pour que le fond n'attache pas. Versez le cidre et le bouillon de volaille. Salez, poivrez et laissez cuire à petits bouillons et à couvert une vingtaine de minutes encore.

Ajoutez alors les pommes épluchées, épépinées et coupées en quartiers. Laissez cuire jusqu'à ce que la viande soit tendre.

Pour 4 personnes.

Cocido de garbanzos, Pot-au-feu aux

pois chiches. Parmi les nombreux cocidos que l'on peut trouver dans les diverses provinces d'Espagne, j'ai choisi celui-ci, qui m'est particulièrement précieux car il tient d'une longue tradition familiale. C'est un repas complet qui nécessite une préparation un peu longue mais dont le caractère revigorant sera bienvenu par un frileux dimanche hivernal.

Préparation/Cuisson

Préparation : 1 heure
Trempage : 12 heures
Cuisson : 1 h 40

Ingrédients

1 jarret d'1,5 kg
1 os de jambon
1 chorizo
300 g de riz
300 g de pois chiches secs
1 branche de céleri
2 carottes
2 poireaux, 1/2 chou vert
1 navet, 2 pommes de terre
3 tomates, 1 oignon
2 feuilles de laurier
1 clou de girofle
piment
1 dosette de safran
en poudre
1 cuillère de bicarbonate
de soude
sel, poivre

Préparation

La veille, faites tremper les pois chiches dans trois fois leur volume d'eau salée dans laquelle on dissout 1 cuillère de bicarbonate de soude et 1 cuillère de sel.

Faites cuire le jarret et l'os de jambon dans 3 litres d'eau salée. Laissez bouillir 30 minutes en écumant régulièrement puis ajoutez les pois chiches, le clou de girofle et le piment. Couvrez et laissez cuire jusqu'à ce que les pois chiches soient à point (20 minutes en cocotte sous pression). Retirez alors la viande et les pois chiches et réservez-les au chaud. Faites cuire dans le bouillon le chorizo et les légumes (céleri, carottes, poireaux, chou vert, navet et pommes de terre) préalablement lavés et coupés.

Pendant ce temps, faites revenir dans une poêle huilée les feuilles de laurier et l'oignon émincé. Ajoutez les tomates pelées, épépinées et concassées et laissez réduire à feu modéré tout en remuant de temps en temps. Ajoutez alors cette sauce (sofrito) au bouillon de légumes un peu avant que ces derniers n'aient fini de cuire.

Lorsqu'ils sont prêts, retirez les légumes à l'aide d'une écumoire et maintenez-les au chaud avec le jarret et les pois chiches. Il doit rester environ 1,5 l de bouillon. Rallongez-le si nécessaire avec un peu d'eau. Portez à ébullition et versez, en même temps que le safran, 300 g de riz. Laissez cuire ce dernier en remuant de temps en temps. Servez cette soupe sans attendre.

Pour 6 personnes.

Arroz al horno, riz au four

Pour ce plat de la région de Valence, ma grand-mère utilisait l'oreille et la queue du cochon et des restes de viande.

Préparation/Cuisson

Préparation : 40 minutes
Trempage : 12 heures
Cuisson : 1 h 15

Ingrédients

500 g de riz
1 poignée de pois chiches
(trempés depuis la veille dans
de l'eau salée et légèrement
bicarbonatée)
1 talon de jambon
3 tranches de poitrine salée
250 g de viande de porc, de
veau ou restes de pot-au-feu
3 morcillas (boudin espagnol)
1 pomme de terre, 2 navets
20 cl d'huile
3 gousses d'ail
1 verre de coulis de tomate
1/2 cuillère à café
de pimentón
3 tomates coupées
en rondelles épaisses
sel, poivre

Préparation

Faites cuire les pois chiches
3/4 d'heure avec le talon de
jambon dans beaucoup d'eau
salée. Réservez-les. Dans une
poêle contenant 10 cl d'huile,
faites dorer tour à tour et
à feu modéré la pomme
de terre et les navets coupés
en rondelles, la poitrine salée
puis la viande coupées en
tranches fines et les boudins
entiers. Réservez-les au fur et
à mesure. Filtrez l'huile,
nettoyez la poêle si
nécessaire et reversez l'huile
filtrée. Rajoutez-en 10 cl.
Faites frire l'ail, le coulis de
tomate et le pimentón
5 minutes. Ajoutez le riz et
faites-le revenir sans cesse
de remuer. Versez ensuite le
contenu de la poêle dans le
plat de terre. Ajoutez l'eau
(à peu près 2 vol. pour 1 vol.

de riz) et incorporez les pois chiches ainsi que tous les ingrédients en attente, en terminant par les boudins coupés en deux dans le sens de la longueur et les rondelles de tomates crues. Rectifiez l'assaisonnement et glissez dans le four chaud jusqu'à cuisson du riz.
Pour 6 personnes.

Plátanos al rón, Bananes au rhum Cette recette

exquise nous vient des îles Canaries. On utilisera pour sa réalisation des bananes peu mûres et, de préférence, du jus de citron vert.

Préparation/Cuisson

Préparation : 10 minutes

Cuisson : 15 minutes

Ingrédients

100 g de beurre

8 bananes

8 cl de rhum vieux

le jus de 2 citrons verts

6 cuillères à soupe de sucre roux

1 poignée d'amandes effilées

Préparation

Faites fondre le beurre dans un plat allant au four. Déposez les bananes épluchées et coupées en deux dans leur longueur, le jus de citron, le rhum, le sucre et les amandes effilées. Laissez cuire à four modéré une quinzaine de minutes en arrosant souvent les bananes avec le jus de cuisson. Servez chaud.
Pour 4 personnes.

Crema catalana, Crème catalane

Traditionnellement, les pâtisseries à base d'œuf et de lait proviennent de la culture hispano-juive. Autrefois dessert des jours de fête, la crème catalane est devenue dans le monde le dessert espagnol le plus connu.

Préparation/Cuisson

Préparation : 10 minutes
Cuisson : 20 minutes

Ingrédients

1 l de lait
7 jaunes d'œufs
50 g de maïzena
le zeste râpé d'un demi-citron non traité
200 g de sucre

Préparation

Mélangez tous les ingrédients. Battez-les au fouet ou au batteur électrique. Versez dans une casserole, chauffez à feu doux, en remuant sans arrêt jusqu'à ce que le mélange épaississe. Repartissez ensuite dans de petits plats individuels et laissez refroidir au réfrigérateur. Au moment de servir, saupoudrez la crème d'une couche de sucre et faites caraméliser celui-ci à l'aide d'un fer très chaud appliqué quelques secondes à sa surface.
Pour 6 personnes.

Cuartos de Mallorqua,

Voici une pâtisserie typique des îles Baléares, à laquelle la maïzena et les blancs en neige confèrent une consistance légère et moelleuse. Ce dessert biscuité sera servi avec une crème dessert ou au moment du café.

Préparation/Cuisson

Préparation : 15 minutes
Cuisson : 30 minutes

Ingrédients

5 œufs
130 g de sucre
100 g de maïzena
le jus d'un demi-citron ou
de l'extrait d'orange

Préparation

Battez au fouet les jaunes d'œufs et le sucre jusqu'à ce que le mélange devienne très clair. Ajoutez alors peu à peu la maïzena tout en continuant à fouetter jusqu'à obtenir une pâte homogène. Parfumez avec le jus de citron ou l'extrait d'orange. Incorporez ensuite à cette pâte les blancs d'œufs battus en neige avec précaution et étalez le mélange sur une plaque beurrée en une couche de 2 à 3 cm. Faites cuire à four modéré une trentaine de minutes. Démoulez dès la sortie du four et découpez en carrés d'une dizaine de centimètres de côté.
Pour 8 personnes.

Flao, Flan

Ce flan au fromage blanc délicatement parfumé est typique des îles Baléares, région d'Espagne dotée d'une gastronomie riche et variée où dominent le porc et les fruits de mer. Un palais non habitué peut être surpris par le goût particulier de la menthe fraîche. On peut éventuellement supprimer cet ingrédient.

Préparation/Cuisson

Préparation : 15 minutes
Cuisson : 30 minutes

Ingrédients

- Garniture :
3 œufs
150 g de sucre
400 g de fromage blanc
quelques feuilles de menthe fraîche
1 cuillère à soupe d'anisette
- Pâte :
200 g de farine
1 œuf
1/2 verre de lait
30 g de beurre
15 g de sucre
1 pincée de bicarbonate
1 cuillère à soupe de graines d'anis

Préparation

Garniture : battez ensemble les œufs et le sucre et ajoutez-leur le fromage blanc, la menthe hachée et l'anisette.

Pâte : travaillez la farine, l'œuf, le lait, le beurre, le sucre et le bicarbonate en une pâte homogène. Ajoutez les graines d'anis. Étalez cette pâte au rouleau sur un plan de travail fariné et disposez-la dans un plat peu profond, beurré et fariné. Versez la garniture et faites cuire, à four modéré, une trentaine de minutes. *Pour 4 personnes.*

Polvorones

Les polvorones (le mot « polvo », poussière, évoque la pâte sablée) proviennent d'une longue tradition hispano-arabe, dans laquelle les Andalous ont remplacé l'huile par du saindoux (manteca). À la place de celui-ci, on peut utiliser une huile végétale de bonne qualité.

Préparation/Cuisson

Préparation : 20 minutes
Repos : 2 heures
Cuisson : 15 minutes

Ingrédients

300 g de farine
125 g de saindoux
(ou d'huile ou de beurre)
75 g de sucre
1 cuillère de cannelle
en poudre
le zeste râpé d'1 citron
quelques gouttes de jus
de citron
sucre glace

Préparation

Étalez la farine sur une plaque et faites-la roussir légèrement à four modéré en la remuant de temps en temps. Retirez et laissez refroidir. Par ailleurs, mélangez le saindoux, le sucre, la cannelle, le zeste de citron et quelques gouttes de jus de citron. Incorporez 250 g de farine à ce mélange, petit à petit, mélangez du bout des doigts, sans trop travailler cette pâte. Faites-en une boule, recouvrez-la d'un torchon propre et laissez-la reposer 2 heures au frais. Farinez un plan de travail avec le reste de farine, posez dessus la boule de pâte et étalez-la sur 1 cm d'épaisseur. Découpez-y des ronds à l'aide d'un verre, déposez-es sur une plaque à four légèrement humide et faites-les cuire à four assez doux pendant 15 minutes environ. laissez-les ensuite refroidir et saupoudrez-les de sucre glace.
Pour 6 à 8 personnes.

Buñuelos del Ampurdan, Beignets

de l'Ampurdan. Il existe de nombreuses variantes de ces fameux beignets
espagnols dont les plus connus sont los churros. Parfumés à l'anis ou,
comme ici, avec du zeste de citron et de l'eau-de-vie, on peut les servir
chauds ou froids, accompagnés de vin doux au dessert ou de chocolat au
lait au petit déjeuner.

Préparation/Cuisson

Préparation : 15 minutes
Repos : 3 heures
Cuisson : 10 minutes

Ingrédients

10 g de levure de boulangerie
10 cl de lait
350 g de farine
3 œufs
50 g de sucre
30 g de beurre
le zeste râpé d'1 citron
1 cuillère à café d'eau-de-vie
1/2 l d'huile pour friture
sucre glace

Préparation

Délayez la levure dans le lait
tiède et ajoutez, tout en
remuant, 150 g de farine.

Laissez lever en un lieu
tempéré. D'autre part,
mélangez le reste de farine,
les œufs, le sucre, le beurre
fondu au bain-marie, le zeste
de citron et l'eau-de-vie.
Incorporez alors la levure à
cette pâte. Travaillez le tout
jusqu'à obtenir un mélange
homogène. Couvrez et laissez
reposer 3 heures. Prélevez
ensuite des boulettes dans
cette pâte et étirez-les pour
former des bâtonnets de la
taille d'un doigt. Faites-les
frire dans l'huile
modérément chaude. Une
fois dorés, saupoudrez les
beignets de sucre glace.
Pour 6 personnes.

Arroz con leche, Riz au lait

Ce dessert d'une simplicité déconcertante est pourtant très répandu, notamment dans les monastères où les bonnes sœurs l'élaborent avec une patience toute « religieuse ». Et de fait, pour être réussi, ce plat demande une présence de chaque instant, sa cuisson lente à feu doux pouvant durer plus d'une heure.

Préparation/Cuisson

Préparation : 10 minutes
Cuisson : 1 heure

Ingrédients

200 g de riz
2 l de lait entier
400 g de sucre
1 bâton de cannelle
un peu de cannelle en poudre

Préparation

Versez le riz dans le lait froid, fiates chauffer à feu doux, et remuez de façon régulière et ininterrompue. Au moment de l'ébullition, ajoutez le bâton de cannelle. Laissez cuire sans cesser de remuer avec une cuillère en bois. Lorsque le riz est tendre, versez le sucre et laissez bouillir en remuant sans cesse pour éviter que l'ensemble n'accroche au fond du récipient ou ne brûle. Continuez ainsi jusqu'à ce que le mélange ait acquis la consistance désirée. Versez alors dans un plat ou des récipients individuels, saupoudrez de cannelle en poudre et laissez refroidir jusqu'à ce que se forme une couche de crème en surface. Servez bien frais.
Pour 6 personnes.

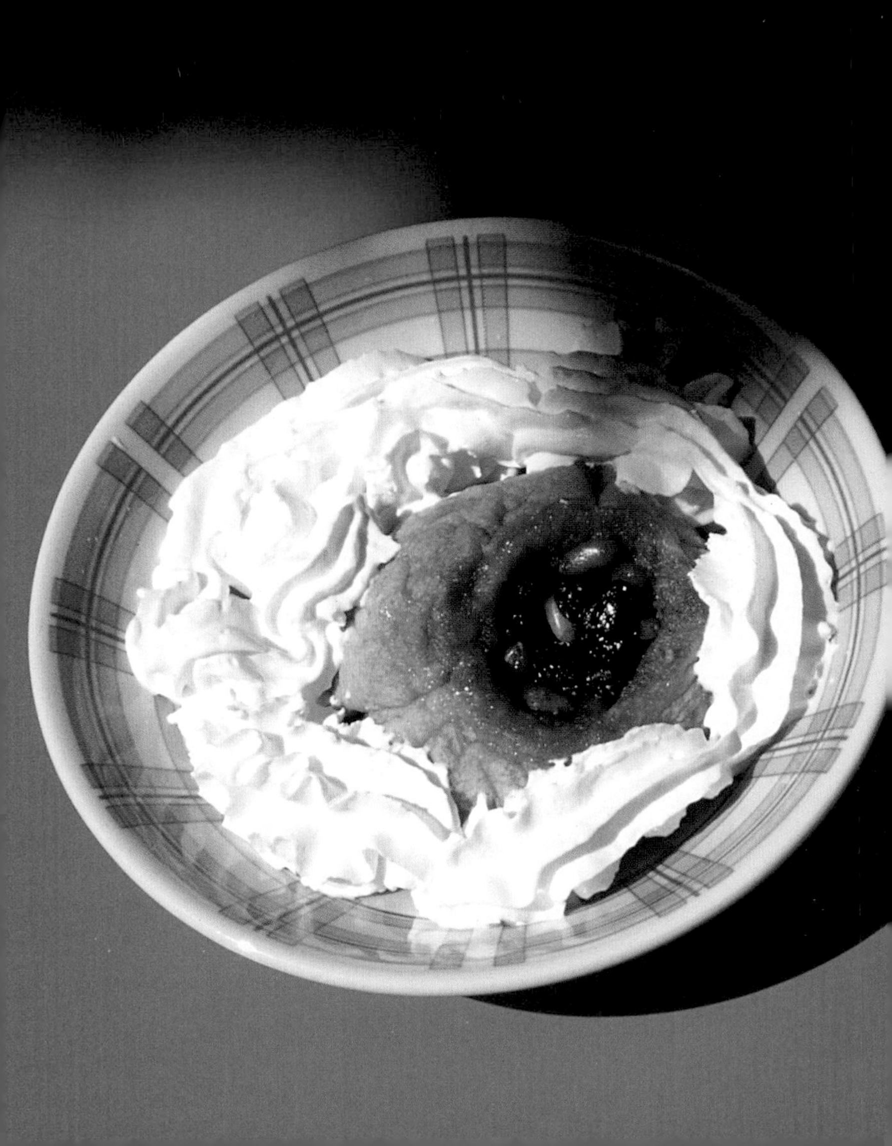

Manzanas rellenas, Pommes farcies

Cette recette, issue d'un couvent des sœurs clarisses situé au Pays basque, est préparée traditionnellement pour clôturer le repas de Noël.

Préparation/Cuisson

Préparation : 20 minutes
Cuisson : 1 heure

Ingrédients

6 belles pommes
6 dattes
100 g de pignons
100 g de raisins secs
(de Malaga de préférence)
6 cuillères à soupe de
confiture
6 cuillères à soupe de vin
doux (muscat, porto ou
malaga)
6 noisettes de beurre
6 cuillères à soupe de sucre
crème chantilly

Préparation

Pelez les pommes et creusez un trou à la place du cœur. Remplissez-les avec une datte découpée et sans noyau, quelques pignons, quelques raisins secs préalablement épépinés et un peu de confiture. Placez les pommes dans un plat de terre et posez sur chacune une noisette de beurre. Arrosez-les de vin doux, saupoudrez d'un peu de sucre et glissez-les au four (température moyenne) jusqu'à ce qu'elles soient cuites. Couvrez-les de crème chantilly au moment de servir.
Pour 6 personnes.

Panqueques de mermelada,

Crêpes à la marmelade d'orange

Préparation/Cuisson

Préparation : 1 heure
Repos : 1 heure
Cuisson : 1 heure

Ingrédients

250 g de farine
1 cuillère à soupe de sucre
1 pincée de sel, 4 œufs
1 cuillère à soupe de rhum
1 grand verre de lait coupé d'eau
1 pot de bonne marmelade d'oranges
1 cuillère à soupe par personne de triple-sec ou de Cointreau

Préparation

Mélangez la farine, le sucre et le sel. Faites une fontaine, cassez-y les œufs et ajoutez le rhum. Mélangez avec une spatule en bois, doucement, et versez le lait coupé d'eau peu à peu pour ne pas former de grumeaux.

Quand la pâte a la bonne consistance, couvrez-la d'un torchon propre et laissez-la reposer 1 heure. Huilez légèrement une poêle à crêpes, enlevez le surplus d'huile et faites cuire les crêpes sur leurs deux faces. Réservez-les sur une assiette posée sur une casserole d'eau chaude pour les maintenir tièdes. Faites un sirop dans une petite casserole avec un peu d'eau et autant de sucre. Laissez cuire sans bouillir quelques minutes. Pendant ce temps, garnissez chaque crêpe d'une couche de marmelade, repliez-les, roulez-les et disposez-les sur un plat. Retirez le sirop du feu et ajoutez-y une cuillère de triple-sec ou de Cointreau par personne. Nappez les crêpes et servez aussitôt. *Pour 15 crêpes.*

Almendrados, Biscuits aux amandes Ces biscuits
seront servis pour accompagner une glace, l'été, ou simplement avec le café.

Préparation/Cuisson
Préparation : 20 minutes
Cuisson : 20 minutes

Ingrédients
400 g d'amandes décortiquées et réduites en poudre
300 g de sucre
4 œufs
le zeste râpé d'1 citron non traité
jus de citron (facultatif)

Préparation
Mélangez dans un récipient la poudre d'amandes, le sucre, et le zeste de citron. Séparez les blancs d'œufs des jaunes, incorporez ces derniers au mélange précédent. Battez les blancs en neige et ajoutez-les à la pâte, qui doit être un peu moelleuse. Ajoutez si nécessaire un peu de jus de citron pour obtenir la bonne consistance.

Formez des boulettes à la main, placez-les sur une plaque de four couverte de papier su furisé et posez sur chacune d'elles une demi-amande épluchée. Faites cuire à four chaud (200 °C) une vingtaine de minutes.

Pour environ 40 biscuits.

Girándula de frutos secos,

Tourte aux fruits secs

Préparation/Cuisson

Préparation : 20 minutes

Cuisson : 50 minutes

Ingrédients

- Pâte sablée :

500 g de farine

200 g de sucre

1 pincée de sel

200 g de beurre

2 œufs

- Garniture :

200 g d'amandes et/ou

de noisettes pelées

50 g de pignons

100 g de sucre

100 g de beurre

2 œufs

2 cuillères à café de farine

5 grosses pommes

confiture d'abricot

extrait de vanille, sel

Préparation

Mélangez dans un saladier la farine, le sucre et le sel. Coupez le beurre en petits morceaux, émiettez-le et mélangez-le à la farine du bout des doigts, en sablant la pâte. Ajoutez 2 œufs, pétrissez à la main jusqu'à ce que la pâte soit homogène. Ajoutez un peu d'eau si nécessaire et laissez reposer 1/2 heure au réfrigérateur.

Entre-temps, hachez très finement les fruits secs avec le sucre, mélangez cette poudre avec 75 g de beurre fondu et les 2 œufs. Ajoutez 2 cuillères de farine, un peu d'extrait de vanille et une pincée de sel.

Pelez et coupez ensuite les pommes en quartiers et les faites cuire doucement dans le beurre restant. Étalez les deux tiers de la pâte sablée en une couche de 4 mm d'épaisseur et habillez-en l'intérieur d'un moule assez large et profond.

Recouvrez le fond de la pâte d'une couche de confiture d'abricot puis d'une couche de pommes cuites. Enfin, répartissez sur l'ensemble le mélange des fruits secs. Formez un couvercle fin avec le reste de pâte sablée et scellez-le sur la tarte en mouillant les bords avec un peu d'eau puis en pinçant ensemble les rebords. Faites une cheminée au centre de la tourte, badigeonnez-la légèrement de jaune d'œuf battu et mettez-la au four préchauffé à 200 °C pendant 50 minutes. Servez froid.
Pour 8 personnes.

Janvier La tradition du cocido est très ancrée dans les terroirs espagnols. Cocido madrileño, fabada asturiana, caldo gallego... tous utilisent dans une même marmite les vertus conjuguées de viandes, charcuteries, légumes frais et légumes secs. Le bouillon de ce pot-au-feu aux pois chiches de la région de Valencia, servi comme une soupe au riz, constituera une entrée en matière chaleureuse et appréciée.

Menu

Entrée
Bouillon au riz (arroz caldoso) ➜ page 60

Plat principal
Pot-au-feu aux pois chiches (cocido de garbanzos) ➜ page 60

Dessert
Flan (flao) ➜ page 67

Notes

....
....
....
....
....

Février Voici encore un plat de résistance issu du terroir ; comme tous les riz, il connaît de nombreuses variantes, la plus simple consistant à faire cuire le riz au four avec des gousses d'ail entières, recouvert de tranches de tomate fraîche et arrosé d'huile d'olive au moment de le servir. Ce riz est idéal pour accompagner viandes et poissons.

Menu

Entrée
Épinards à la Catalane (espinacas a la catalana) ➔ page 17

Plat principal
Riz au four (arroz al horno) ➔ page 62

Dessert
Polvorones ➔ page 69

Notes

....

....

....

....

....

Mars N'en doutez pas, tous vos convives voudront connaître la recette de vos croquettes de morue après les avoir goûtées. De même pour les macaronis ; Prenez garde simplement à ce que leur passage au four ne les assèche pas trop. Pour cela, ne laissez pas trop réduire la sauce tomate afin qu'elle reste assez liquide.

Menu

Entrée

Croquettes de morue (Albóndigas de bacalao)
→ page 34

Plat principal

Macaronis de Carmen (macarones de
Carmen) → page 54

Dessert

Crème catalane (crema catalana) → page 65

Notes

....
....
....
....
....

Avril Célébrons le printemps. Ces petits nids de cœurs d'artichauts, servis frais, sont un excellent prélude aux volailles délicatement parfumées à l'ail. Veillez simplement à ne pas trop cuire les artichauts. Ils perdraient de leur saveur. Le riz au lait aux accents de vanille ou de citron couronnera parfaitement ce repas léger.

Menu

Entrée
Nids de cœur d'artichauts (nidos de alcauciles) ➜ page 22

Plat principal
Lapin et poulet panés à l'ail (conejo y pollo empanado al ajillo) ➜ page 58

Dessert
Riz au lait (arroz con leche) ➜ page 73

Notes

....

....

....

....

....

Mai

Choisir les fèves dont les grains sont bien formés sous une gousse encore verte. Plus mûres, elles auront tendance à durcir à la cuisson. C'est la pleine saison du thon, que l'on trouve frais et à un prix raisonnable sur bien des étals. Ce marmitako est un des fleurons de la cuisine basque. Les bananes au rhum, apporteront une note exotique à ce repas printanier.

Menu

Entrée
Fèves Vitoria (habas de Vitoria) ➔ page 18

Plat principal
Marmitako ➔ page 43

Dessert
Bananes au rhum (plátanos al rón) ➔ page 64

Notes

....

....

....

....

....

Juin Une fois encore, vous étonnerez vos amis en préparant à leur intention cet assortiment de tapas. Pensez à préparer dès la veille les poivrons à l'huile et les délicieux filets de sardines (ou d'anchois frais) marinés. Les tortillas seront cuites dès le matin et servies froides, découpées en portions. Les seiches et les crevettes ne demandant que quelques minutes de préparation seront frites au dernier moment, tandis que seront disposés, dans des assiettes et ramequins, olives, dés de jambon cru, lichettes de fromage, bâtonnets de carottes, pain grillé et coulis de tomates fraîches (voir pain à la tomate). Un repas-lunch mémorable qui trouvera une issue digne de ce nom avec une salade de fruits de saison (melon, pastèque, fraises...)

Menu

Plat principal
Tapas ➜ pages 13 à 29

Dessert
Salade de fruits de saison

Notes

....

....

....

....

....

Juillet Si vous vous risquez, par une belle journée d'été, à cuisiner cette paella au feu de bois, comme le voudrait la tradition, pensez à garder en réserve assez de petit bois pour emmener la cuisson à son terme. Pour cela le sarment de vigne est idéal car il permet de régler la flamme presque instantanément. Ce mode de cuisson exige cependant une vigilance de chaque instant mais réserve à votre paella une saveur exceptionnelle.

Menu

Entrée
Gaspacho andalous ➜ page 15

Plat principal
Paella ➜ page 46

Dessert
Fruits ou glace

Notes

....

....

....

....

....

Août

Nous avons choisi une entrée très méditerranéenne pour démarrer ce repas estival par une note fraîche. Poursuivez avec ce chilindrón de poulet qui épatera vos convives par ses saveurs très personnelles et la simplicité de sa confection. Accompagnez-le de riz nature et d'un vin rouge corsé,

Menu

Entrée
Picadillo ➔ page 21

Plat principal
Chilindrón de poulet (pollo al chilindrćn)
➔ page 55

Dessert
Crêpes à la marmelade d'orange
(panqueques con mermelada) ➔ page 76

Notes

....

....

....

....

....

Septembre

Point n'est besoin d'attendre l'ouverture de la chasse, comme en Navarre à l'époque de la migration de ces gentils volatiles, pour servir à vos convives ces cailles d'élevage, que l'on trouve partout et toute l'année. En cette fin d'été, les poivrons et autres légumes abondent encore et vous permettront de concocter un délicieux repas.

Menu

Entrée
Salade du jardinier (ensalada del hortelano) ➜ page 13

Plat principal
Cailles aux poivrons (ccdorniz con pimientos) ➜ page 57

Dessert
Beignet de l'Ampurdán (buñuelos del Ampurdán) ➜ page 71

Notes

....

....

....

....

....

Octobre

C'est la pleine saison de la dorade. On l'accompagnera de riz safrané ou d'une jardinière de légumes. Ce plat ne demandant que quelques minutes de préparation, on aura plus de temps à consacrer à l'élaboration des chaussons au thon qui, accompagnés de salade verte, sont un ravissement. Ce repas relativement léger trouvera un heureux aboutissement avec la tourte aux fruits secs.

Menu

Entrée
Chaussons au thon (empanadillas de atún) ➔ page 31

Plat principal
Dorade au sel (dorada a la sal) ➔ page 41

Dessert
Tourte aux fruits secs (girándula de frutos secos) ➔ page 78

Notes

....

....

....

....

....

Novembre

Profitons de la saison des pommes pour faire un détour par les Asturies, l'équivalent en quelque sorte de notre Normandie, au moins par sa boisson principale : le cidre. Les pommes et le cidre participent ici au moelleux et à la finesse de ce plat à la fois campagnard et original.

Menu

Entrée
Pipirrana ➜ page 20

Plat principal
Cuisses de canard aux pommes (muslos de pato con manzánas)➜ page 59

Dessert
Cuartos de Mallorca ➜ page 66

Notes

....

....

....

....

....

Décembre

Un menu de fête s'imposait pour ce mois de décembre. Succédant à un plateau d'huîtres (on mange dans toute l'Espagne celles de Galice), les moules enrobées constitueront une entrée digne de ce jour. Nous vous proposons de porter le suquet à son apogée en y incorporant quelques queues de langouste ou de homard, coupées en tronçons avec leur carapace, en même temps que les autres poissons. Utilisez les têtes des crustacés dans le court-bouillon, pour lequel vous aurez également récupéré l'eau de cuisson des moules. Les pommes farcies sauront créer la surprise pour clore ce repas.

Menu

Entrée

Plateau d'huîtres
Moules enrobées (mejillones rebozados) ➔ page 29

Plat principal

Suquet ➔ page 44

Dessert

Pommes farcies (manzanas rellenas) ➔ page 75

Notes

....

....

....

....

....

Directeur de collection :
    Jean-Pierre Duval

Conception graphique :
    Christophe Meier

Montage :
    Paola Borsari

© Romain Pages Éditions, 2002

BP 82030
F-30252 - Sommières Cedex
T 04 66 80 34 02
F 04 66 80 34 56
E.mail : pages@wanadoo.fr
site web : www.romain-pages.com

Dépôt légal : mai 2002
ISBN : 2-84350-077-X
Imprimé en Europe par sagrafic

Venez nous rejoindre sur nos sites internet et
découvrez nos livres jeunesse, voyage, nature sur :

www.romain-pages.com

et la cuisine des terroirs sur :

www.pages-terroir.com